Y0-BQF-614

20°

Pour Tom
E. M.

Deuxième édition mai 2016

18, rue de l'Ouvrage
5000 Namur
www.mijade.be

ISBN 978-2-87142-970-8
D/2016/3712/32

Imprimé en Belgique

Geneviève Rousseau

Estelle Meens

Gare au gaspi !

Mijade

– Les enfants, la Terre va mal, nous a dit Madame Nathalie.
Elle a besoin de nous et nous pouvons la sauver !
Ça nous a bien étonnés.
– Mais on est trop petits !
– Non, Philémon. Tu vas voir, il y a plein de choses à faire pour aider la Terre.

Les déchets,
il ne faut pas les mélanger.
Verre,
plastique,
papier,
à chacun sa poubelle.

Dans le compost,
on met les épluchures
et les déchets de la nature.
Beurk, beurk…
Un peu dégoûtant,
mais ça va devenir
de la bonne terre.

Waw ! Les éoliennes, c’est vraiment grand !
Ce sont de grosses hélices
qui fabriquent de l’électricité grâce au vent...

Quand Maman vient me chercher,
j'ai plein de choses à lui raconter.
– Dis donc, ça m'a l'air très intéressant tout ça…
Tu vas nous expliquer ?
– Je vais surtout vous montrer !

Allez, au travail!
Mais par où commencer?
La Terre n'aime pas les poubelles.
Et les nôtres sont énormes!
Qu'est-ce qu'il peut bien y avoir dedans?

… Des langes!

Ça, c'est signé Bébé!

Il a beau être tout petit,
il remplit des poubelles plus grosses que lui.

Hé, ses langes, il pourrait les utiliser des deux côtés,
comme on fait en classe avec le papier!
C’est plutôt une bonne idée, non?

Papa vient d'éplucher les légumes…
Si on faisait un compost?

Un compost dans le jardin, c'est bien.
Mais mieux vaut l'avoir sous la main.

Le parc de Bébé, c'est l'idéal, pas vrai ?
Et hop, je renverse toutes les épluchures sur la couverture.

– Maman, tu es sûre qu'il faut tout laver ?
La machine à laver, c'est beaucoup d'eau usée et du savon qui pollue !

Et puis le sèche-linge consomme plein d'électricité!
Je vais t'aider à trier...
Pas très sale, pas très sale, pas sale du tout...

Voilà, tous ces vêtements-là, pas besoin de les laver.
On peut encore les porter!

Quand Léa fait ses devoirs,
c'est grand éclairage et musique à fond.
– Tu n'as pas besoin de toute cette lumière !

Je crois que j'ai une idée…

Avec une lampe à dynamo,
il suffit de tourner pour tout éclairer !

Après une journée de travail, Papa est fatigué.
Un bon bain va lui faire du bien…

Pas trop chaud et pas trop d'eau !
Je vais lui préparer un bain qui ne fera pas de mal à la Terre.

– Mais il n'y a qu'un fond d'eau ! s'écrie Papa.

– L'eau, c'est précieux,
c'est pour ça qu'on l'appelle « l'or bleu ».
Il ne faut pas la gaspiller.
Prendre une douche,
ce serait même encore mieux…

Et maintenant, si je préparais les pique-niques pour demain ?
Jambon pour Papa, confiture pour Léa, fromage pour Maman et moi.
Un fruit comme dessert, et voilà !

Pas d'alu, pas de sachet !
Ça fait beaucoup trop de déchets !

Aider la Terre, c'est fatigant!
Mais qu'est-ce que je suis fier de moi!

Vraiment trop content!

Stop !
Philémon, ça suffit,
regarde un peu par ici !

Chaque fois que je crois bien faire,
tout va de travers.

Je suis vraiment découragé.
J'ai même envie de pleurer…

– Mais… Philémon, regarde autour de toi !
Tu n’as pas vu tout ce qui a changé dans la maison grâce à tes bonnes idées ?
– Ah bon ? Quoi donc ?

Papa prend une douche à la place de son bain…
Trop bien!

Des boîtes à tartines!
Super!
Je pourrai avoir celle avec les étoiles?

Un vrai bac à compost dans le jardin!

Soleil et vent pour sécher le linge,
il n'y a pas mieux!

Et même des ampoules économiques !
Mais alors, ça a marché ?
Ils m'ont quand même écouté !

Dans la cuisine, Bébé a fini de manger.
– Il reste de la panade, dit Maman.
Ce serait dommage de la jeter.
Tu veux bien la recycler?

Miam, c'est délicieux.

Aider la Terre, ça a du bon…

20°